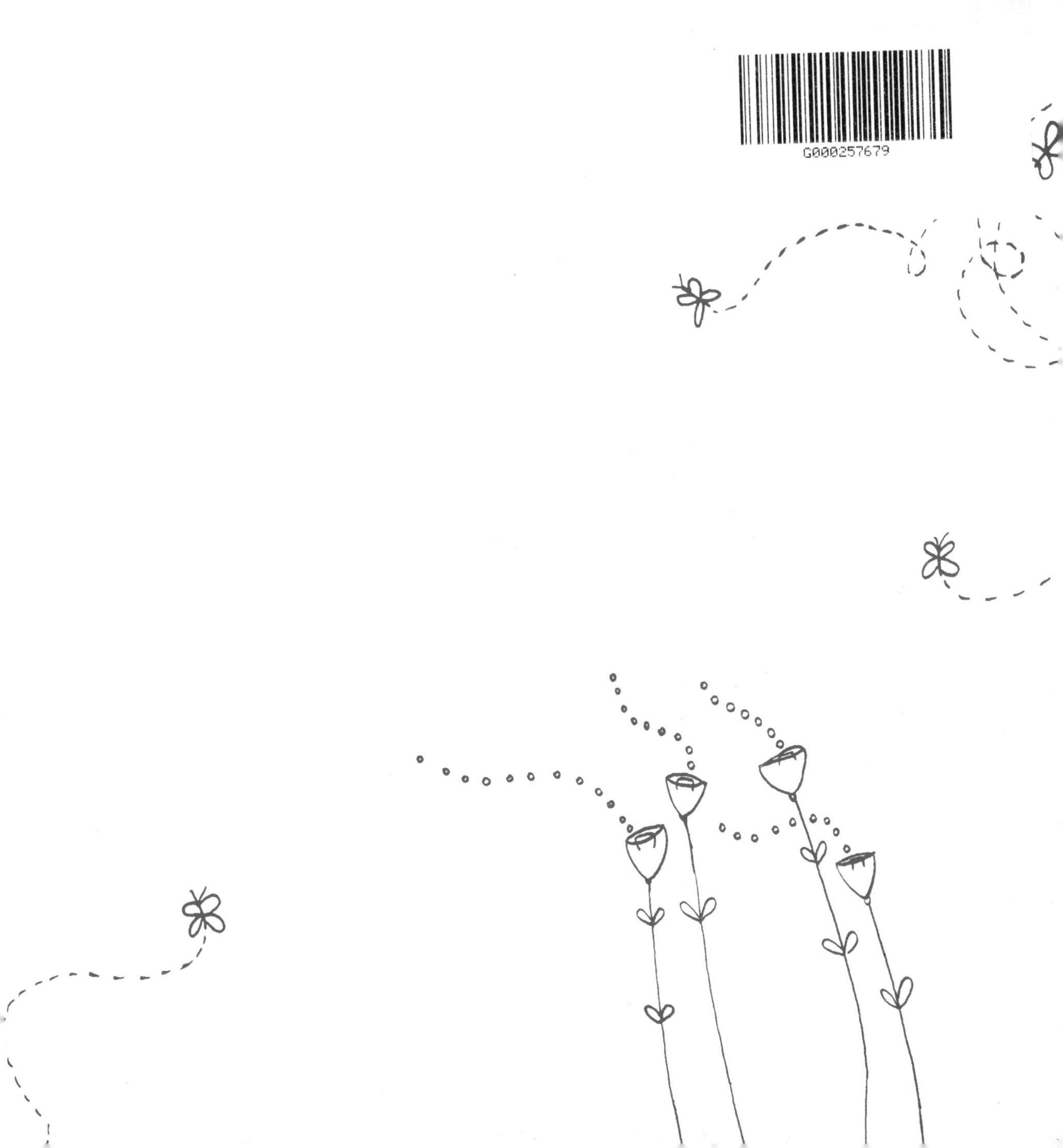
G000257679

Sara Agostini
ILLUSTRAZIONI DI Marta Tonin

Le sei storie delle paroline magiche

GRIBAUDO

SOMMARIO

PER PIACERE

Ogni bambino merita attenzione,
ma fa richieste in continuazione.
Gli altri non sempre sanno ascoltare,
allora un consiglio vi voglio dare.

Conosco due magiche parolette
che le domande rendon perfette:
se qualcosa volete ottenere,
ricordate di dire "**PER PIACERE**".

Dai anche a me una caramella,
antipatica di una sorella?

Che succede, voglio vedere,
se ti dico “**PER PIACERE**”...

Nonna, mi comperi quel giocattolo?
Mi manca proprio uno scoiattolo!

Che succede, voglio vedere,
se ti dico “**PER PIACERE**”...

Ancora coccole, cara mammina:
baci, carezze e la tua manina.
Che succede, voglio vedere,
se ti dico “**PER PIACERE**”...

Maestra, voglio questo libretto!
Finora l'ha letto solo Gigetto.

Che succede, voglio vedere,
se ti dico "**PER PIACERE**"...

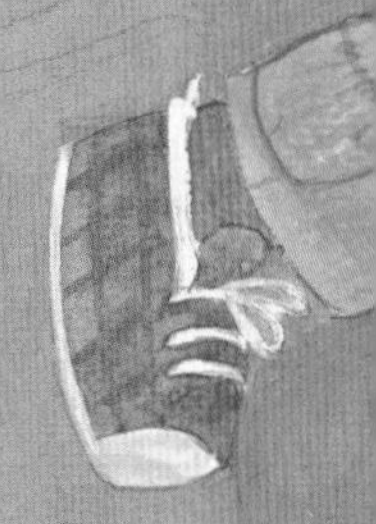

Ehi! Nonno, vuoi giocare?
Vieni, presto, senza aspettare.
Che succede, voglio vedere,
se ti dico "**PER PIACERE**"...

Quel bambolotto anch'io voglio usare,
amica mia, me lo puoi passare?
Che succede, voglio vedere,
se ti dico "**PER PIACERE**"...

Non scordate le parolette
che le domande rendon perfette:
se qualcosa volete ottenere,
ricordate di dire "**PER PIACERE**".

GRAZIE

GRAZIE dicono grandi e piccini
a scuola, al lavoro e anche ai giardini.
Per un regalo oppure un piacere,
questa parola non devi tacere.

Se la dimentichi, ecco il riscatto:
GRAZIE, di certo, è il termine adatto.

Guarda che pizza ha fatto papà.
Che bello, che gioia! Hip hip hurrà!

Spesso non c'è parola migliore
di un bel **GRAZIE** detto di cuore.

Guarda il Sole: con un girotondo,
illumina e scalda l'intero mondo.

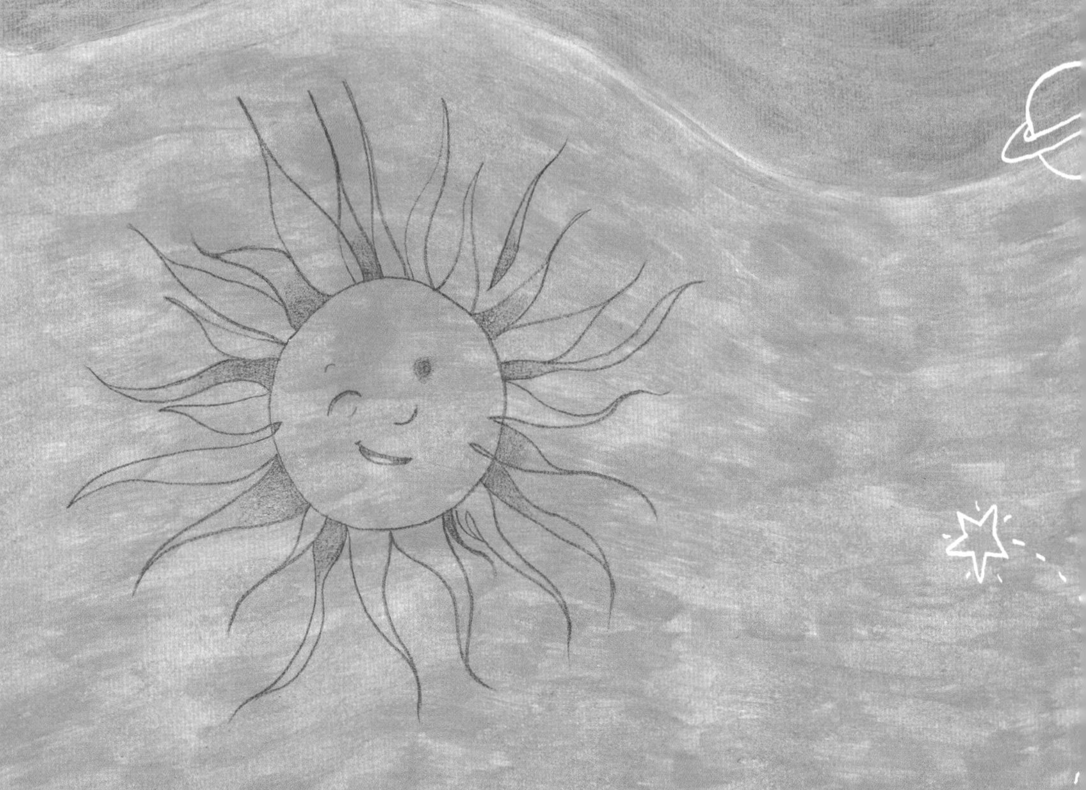

Spesso non c'è parola migliore
di un bel **GRAZIE** detto di cuore.

Col nonno ho fatto il giardiniere,
poi mi ha lasciato fare il pompiere!

Spesso non c'è parola migliore
di un bel **GRAZIE** detto di cuore.

Finalmente è il mio compleanno:
forse gli amici un regalo faranno.

Spesso non c'è parola migliore
di un bel **GRAZIE** detto di cuore.

Giulia mi offre le sue caramelle,
fragola, miele: tocco le stelle!

Spesso non c'è parola migliore
di un bel **GRAZIE** detto di cuore.

GRAZIE è una piccola e dolce parola,
per esser gentili basta lei sola.
Gracias, thank you, Danke, merci:
credi, il segreto è tutto qui.
Spesso non c'è parola migliore
di un bel **GRAZIE** detto di cuore.

SCUSA

Se non volevate fare del male,
oppure la mossa era proprio sleale;
se lo avete fatto apposta,
o vi è scappata una brutta risposta,
per far la pace, datemi retta,
soltanto una è la paroletta.
Per veder la questione conclusa,
dovete imparare a chiedere **SCUSA!**

Con il pallone Marco è maldestro:
nel vetro di casa ha fatto canestro.

A questa regola deve ubbidire:
“**SCUSA** papà” e nient’altro da dire!

A Sabrina non va bene niente;
a volte è anche un po' prepotente.

Se con le amiche vuol tornare a giocare,
a chiedere **SCUSA** deve proprio iniziare.

Com'è divertente fare il bagnetto!
Ma chi ha esagerato? Ho forse un sospetto...

Per rimediare ho una proposta:
credo che **SCUSA** sia la risposta!

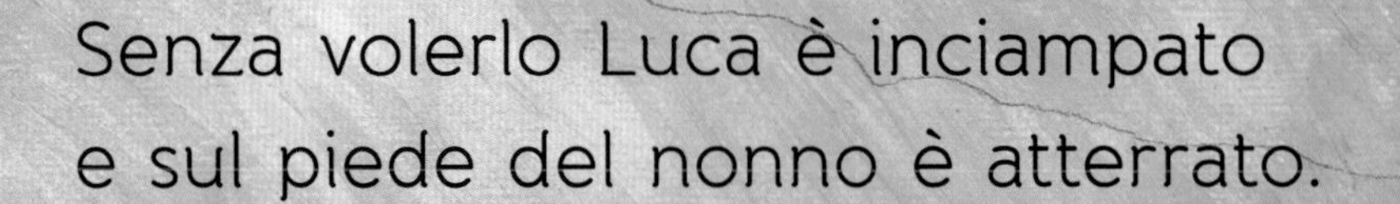

Senza volerlo Luca è inciampato
e sul piede del nonno è atterrato.

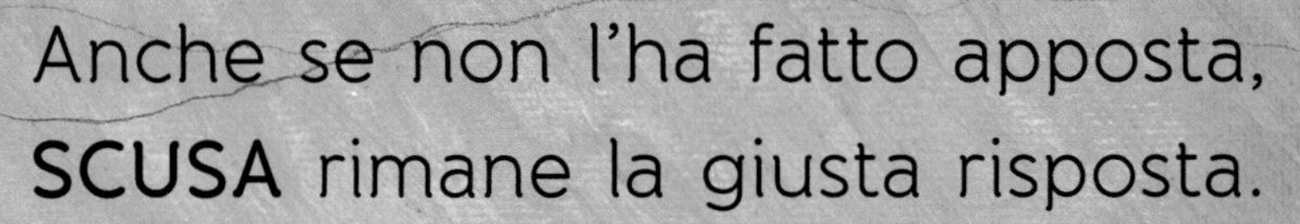

Anche se non l'ha fatto apposta,
SCUSA rimane la giusta risposta.

Ogni tanto, per troppi capricci,
si può arrivare a grossi bisticci.
Senza cercare chi ha torto o ragione,
chiedere **SCUSA** è la soluzione.

Anche se non lo vorremmo fare,
talora ci capita di sbagliare.
A volte si litiga e ci si accapiglia
e inizia a urlare l'intera famiglia.

Per fare la pace so la ricetta:
SCUSA è la magica paroletta,
che devon dire grandi e piccini,
dopo che han fatto i birichini.

PAZIENZA

A volte uno vince e un altro perde
e per l'invidia diventa verde...
PAZIENZA! Non ci si deve arrabbiare:
non si gioca per vincere, ma per giocare.
A volte ti trovi a dover rinunciare
a qualcosa che invece vorresti fare.
«**PAZIENZA!**» di' solo, con molta saggezza.
«Lo farò un'altra volta», senza tristezza.

«Vorrei tanto continuare a giocare
ma a casa adesso devo rientrare;

mamma la cena ha già preparato:
PAZIENZA! Per oggi ho già giocato.»

«Ho perso il mio gioco preferito.
Che tristezza! Chissà dov'è finito...

PAZIENZA! Imparerò a stare più attenta,
così sarò sempre contenta.»

«Oh, NOOO! Il vaso si è rotto,
perché l'ho fatto cadere di sotto.»

«**PAZIENZA!** Non l'hai fatto apposta:
stai solo più attenta la prossima volta.»

«Senza volerlo, l'acqua hai versato
sul mio disegno già terminato.»

«**PAZIENZA!** Insieme lo sistemiamo,
e più bello di prima lo rifacciamo.»

A volte giocando ci si può scontrare,
e uno cadendo si può far del male.

PAZIENZA! È la giusta risposta.
Di sicuro nessuno l'ha fatto apposta!

Spesso non occorre arrabbiarsi
o per la rabbia rattristarsi:
se anche bisogna rinunciare a qualcosa
la vita può esser comunque radiosa.
Non fatevi prendere dalla tristezza:
«**PAZIENZA!**» dite, con molta saggezza!

TI VOGLIO BENE

TI VOGLIO BENE
è facile da dire,
ma in altri modi
si può far capire.

Coccola e abbraccio, bacio e carezza,
tutti lo mostran con molta dolcezza;
ma così pure una buona azione,
una bella parola o un'attenzione,
una alla volta o tutte insieme,
vogliono dire: **TI VOGLIO BENE**.

Mamma lo dimostra quando cadiamo
mettendo un cerotto o prendendo la mano.

TI VOGLIO BENE è la giusta risposta;
aggiungi un bel bacio: nulla ti costa!

TI VOGLIO BENE dice papà,
reggendo la bici che va qua e là.

Con le stesse parole gli rispondiamo
quando i giochi, veloci, riordiniamo.

Il babbo e la mamma si vogliono bene:
le loro giornate di baci son piene.

TI VOGLIO BENE, in ogni secondo,
vien detto in qualche parte nel mondo.

TI VOGLIO BENE fa capire il nonno,
leggendo una storia anche se ha sonno.

Un bell'abbraccio, a nostro parere,
gli farà davvero molto piacere.

Anche il gattino vuol la sua parte,
di certo non puoi lasciarlo in disparte.

TI VOGLIO BENE lui sa miagolare,
se con dolcezza lo sai coccolare.

Tutte le persone di questo mondo
dovrebbero dire ogni secondo:
“**TI VOGLIO BENE**,
per me sei importante,
che tu viva vicino oppure distante”.
Comincia tu a dirlo a gran voce
o, se preferisci, un po’ sottovoce,
a tutti comunque fa molto piacere
sentirsi dire **TI VOGLIO BENE**.

CIAO

CIAO! Che simpatica parola,
molto spesso basta lei sola
per salutare amici e conoscenti
o per esser gentili con i parenti.
Non rinunciare all'occasione
di mostrare la tua educazione,
con quattro semplici letterine
che sanno esser davvero carine.

«Dopo il lavoro giochi con me?»
«Certo, tesoro, mi diverto con te!»

«Allora **CIAO**, cara mammina!
Ti aspetto serena, da brava bambina.»

Se incontri la vicina sulle scale,
di esser gentile non ti scordare.

Non farti pregare dal tuo papà,
di' subito **CIAO**, in velocità.

Mamma per strada saluta gli amici
e loro rispondono assai felici.

Tu non nasconderti timidamente:
di' **CIAO** a tutti allegramente.

«Ci vediamo domani, amico mio?
Se vieni tu, ritorno anch'io.

CIAO! Mi stanno chiamando!
Porta la palla, mi raccomando!»

HELLO! Dicono gli inglesi.
NIHAO! Rispondono i cinesi.

In tanti modi si può salutare:
anche la mano può bastare.

CIAO si usa per salutare:
chi è in arrivo
e chi sta per andare.
Non si tratta
di un atto grandioso
e non è neanche
assai faticoso.

Che cosa ti costa esser gentile,
a casa, a scuola oppure in cortile?
Anche se senti un po' di stanchezza
dimostra a tutti la tua gentilezza.
Fai vedere la tua educazione:
di' **CIAO** senza esitazione!

Le sei storie delle
PAROLINE MAGICHE

Testi: Sara Agostini
Illustrazioni: Marta Tonin
Progetto grafico di copertina: Emanuela Ala
Impaginazione: Emme2grafica (VR)

Redazione Gribaudo
Via Garofoli, 266
37057 San Giovanni Lupatoto (VR)
redazione@gribaudo.it

Responsabile di produzione: Franco Busti
Responsabile di redazione: Laura Rapelli
Responsabile grafico: Meri Salvadori
Fotolito e prestampa: Federico Cavallon, Fabio Compri
Segreteria di redazione: Daniela Albertini

Stampa e confezione: Grafiche Busti srl, Colognola ai Colli (VR),
azienda certificata FSC®-COC con codice CQ-COC-000104

Prima edizione 2012 [5(C)]
Seconda edizione 2012 [12(D)]

Socio Unico Giangiacomo Feltrinelli Editore srl
Via Andegari, 6 - 20121 Milano
info@gribaudo.it
www.feltrinellieditore.it/gribaudo/

Terza edizione 2015 [2(C)] • Quarta edizione 2015 [10(C)]
Quinta edizione 2016 [3(E)] • Sesta edizione 2016 [11(E)]
Settima edizione 2017 [2(L)] • Ottava edizione 2017 [5(S)]
Nona edizione 2017 [10(O)] 978-88-580-0660-3

razzismobruttastoria.net